현명한

독서법

현명한 독서법
성장과 성공을 위한 자기계발 안내서

발 행 | 2024년 01월 05일
저 자 | 김경진
펴낸곳 | 주식회사 부크크
출판사등록 | 2014.07.15(제2014-16호)
주 소 | 서울특별시 금천구 가산디지털1로 119 SK트윈타워 A동 305호
전 화 | 1670-8316
이메일 | info@bookk.co.kr

ISBN | 979-11-410-6497-6

www.bookk.co.kr

현명한 독서법

【성장과 성공을 위한 자기계발 안내서】

김경진 지음

차례

PART 2 성공 독서를 향하여

에이브러햄 링컨

오프라 윈프리

그들의 공통점

배움

마음

사고 전환

삶을 바꾸는 질문

작은 실천의 힘

『일생일대의 기회가 주어진다면 나는 어떻게?』

인생을 잘 살고 싶지 않은 사람이 누가 있을까?

독서법을 찾는 이유는, 독서를 통해 성공한 사람들과 같이 나 또한 그러한 삶을 살기 위한 방법을 찾기 위함일 것이다.

독서가 좋다는 것도 알고 인생의 변화를 위해 이보다 더 좋은 방법이 없다는 것도 안다. 유명하다는 독서법도 따라 해보고 실천해봐도 중간에 포기하거나 다른 방법으로 환승하기도 한다. 성공할 때까지 독서 습관을 유지하기도 어렵고, 실천하면서도 확신이 없으며, 인생의 변화도 느끼지 못한다면, 그 이유가 무엇인지 진지하게 생각해 보아야 한다.

많은 시도를 할지라도 그 문제에 해당하는 원인을 찾아 해결하지 못한다면 결과는 달라질 수 없다. 어떤 선택과 결정에 있어 잘 알지 못하면 확신이 서지 않는 것처럼 말이다. 많은 책에서 말하는 성공 방법은 이미 나 자신이 알고 있는 방법일 수도 있다. 단지, 아직 내 것이 되지 못했기에 또 다른 방법을 찾는지도 모른다.

그러나 책은 방법만 알려줄 뿐, 성공의 답은 책 속에 있는 것이 아니라 '나' 자신에게 있다.

성공을 바라는 것도 '나'이고, 성공하기 위해 행동해야 하는 것도 '나'이기 때문이다.

'나'를 잘 아는 것이 중요한 이유다.

성공하는 독서는 '백전불태(百戰不殆)'와 같다.

백 번을 싸워도 위태롭지 않기 위해서는 상대편과 자신의 장단점을 알고 승산이 있을 때 싸움에 임하는 것이다.

내가 어떤 사람인지 알고 성공하는 독서 방법을 알아야 원하는 것을 내 것으로 만드는 승률을 높일 수 있다.

성공하는 독서를 하기 위해서는 '나'와 '성공하는 독서 방법'에 대해 먼저 알아야 한다. 그래야 자신이 그 방법대로 할 수 있는지, 시간이나 훈련이 얼마나 필요한지 알 수 있지 않겠는가?

'나'를 알고 '성공 독서'가 무엇인지 알고 난 다음, '나'에게 맞는 방법으로 행동하는 것이 성장과 성공으로 가는 지름길일 것이다.

이 책은 '나'에 대해 알아가는 방법과 성공하는 독서의 본질적 방법에 대해 이야기한다. 삶을 변화시키는 독서의 선한 영향력이 성장과 성공을 꿈꾸는 이들에게 전해지길 바라며, 글을 시작한다.

PART 1

성공의 시작은 '나'로부터

Ⅰ 자아성찰

"다른 사람이 가져오는 변화나 더 좋은 시기를 기다리기만 한다면 결국 변화는 오지 않을 것이다. 우리 자신이 바로 우리가 기다리던 사람들이다. 우리 자신이 바로 우리가 찾는 변화다."

- 버락 오바마 -

인생의 우선순위

나는 '나' 자신에 대해 잘 알고 있는가?

자기 자신에 대해 잘 아는 사람일수록 성공할 확률은 높다.

우리는 안다고 생각했으나 기억해 내지 못하는 경우도 있고, 관련된 지식을 공부했음에도 설명하지 못하는 경우도 있다.

자신이 쉽다고 생각했던 일, 안다고 생각했던 일, 잘한다고 생각했던 일이 생각했던 것과 다른 결과로 나타났을 때 오류를 인지하게 된다.

오류는 경험해 보지 않거나 실수나 실패를 해보지 않으면 알기 어렵다는 것이다.

때문에 자신에 대한 이해가 부족한 상태에서는 더 나은 삶을 추구하거나 계획하기 어렵다.

무슨 일이든 일하는 방법을 모른 채 진행한다면 시행착오를 겪게 될 확률은 높다. 일을 알고 하는 것과 모르고 하는 것의 차이는 크고 효율적인 방법을 찾지 못한다면 시간과 노력은 몇 배로 들지만 결과는 만족스럽지 못하다.

대충 아는 것은 대충만큼의 결과를 내고 잘 아는 것은 잘 아는 만큼의 결과를 낸다.

'나'에 대해서 잘 알지 못하는 부분들로 인해 인생을 살아가면서 실수나 실패를 반복하진 않았는지 생각해 보아야 한다.

결과가 중요한 일에 있어서 그 방법을 잘 알고 시작하는 것은 더 좋은 성과를 기대할 수 있다.

아무리 새로운 분야에 열정이 가득할지라도 자신이 그 일에 재능이 없다면, 자신의 것으로 만들기까지 재능이 있는 사람보다 더 많은 시간과 노력이 요구된다.

빠른 결과를 요하는 일에 있어서는 열정은 있지만 재능이 없는 일보단 자신의 재능 있는 일을 선택해 실력을 키우는 것이 유리한 선택이 된다.

자신에 대해 잘 알아야 선택과 결정에 있어 더 나은 시간과 노력을 투자할 수 있다.

우리는 매일 크고 작은 선택과 결정을 하며 그 결과대로 자신의 삶을 살아가고 있다. 또한 앞으로의 선택과 결정들로 인해 자신의 삶을 살아가야 한다.

자신의 성장과 변화를 위해 더 나은 선택과 결정을 하기 위해서는 '나' 자신에 대해 아는 것이 인생의 우선순위 상위에 위치해야 한다.

나를 아는 것

'나 자신을 제대로 아는 것'이 중요하다.

'나'를 제대로 아는 통찰력이 필요하다. 통찰력은 아는 만큼 나온다.

'나'를 잘 알기 위해서는 자아 성찰이 필요하다.

'나'를 제대로 알기 위한 자아 성찰을 위해서는 메타인지 능력이 필요하다.

메타인지

자신의 인지적 활동에 대한 지식과 조절을 의미하는 것으로 내가 무엇을 알고 모르는지에 대해 아는 것에서부터 자신이 모르는 부분을 보완하기 위한 계획과 그 계획의 실행과정을 평가하는 것에 이르는 전반을 의미한다.

- 네이버 지식백과 -

메타인지는 자기 객관화로서 아는 것과 모르는 것을 정확하게 파악하는 능력이다. 또한 자신의 강점과 약점을 아는 것을 넘어 부족한 부분을 훈련하는 과정이다.

메타인지 능력은 평생을 살아가면서 필요하고 유용한 만큼 가치가 크다.

안 좋은 습관은 내 것으로 만들기 쉽지만 좋은 습관은 내 것으로 만들기 어렵다. 좋고 중요한 것일수록 가치는 크고 내 것으로 만드는 데 시간과 노력이 필요하다.

공들여 지은 탑이 견고한 것과 같이, 가치가 크면 클수록 많은 공을 들여야 자신이 힘써 만든 가치 있는 것들이 쉽게 흔들리거나 무너지지 않는다.

자신이 아는 것, 모르는 것, 잘하는 것, 좋아하는 것, 싫어하는 것, 못하는 것, 어려워하는 것, 불편해하는 것 등, 나 자신에 대한 정보를 관찰하여 얻어야 한다. 그 정보를 바탕으로 어떤 일에 도전하거나 시행할 때 나 자신이 할 수 있는지, 준비가 필요한지, 필요한 요소가 무엇인지 평가하여 수정, 보완할 수 있다.

메타인지의 가장 중요한 부분이자 첫 단추는 자신의 부족한 부분을 먼저 깨닫는 것이다.

메타인지는 자신이 무엇을 알고 모르는지를 파악하는 것이다. 부족한 부분을 인지하지 못하면 능력을 키울 수 없다.

부족한 부분을 알아야 배워야 할 부분, 개선되어야 할 부분, 보완해야 할 부분을 발견하고 찾아내어 훈련할 수 있게 된다.

'나를 아는 것'이 필요하다.

Ⅱ '나'를 알아보는 메타인지

내가 어떤 사람인지, 매사에 어떻게 생각하고 말하며 행동하는지 자신을 관찰하여 아는 것이 '나'를 성장시키는 지름길이다.

자문자답

다음 질문에 답해보며 메타인지에 대해 알아보자.

☞ 해설은 컬럼비아대학교 바너드칼리지 심리학과 교수, 리사 손의 저서 《메타인지 학습법》을 참고하여 작성되었다.

Q : 같거나 비슷하다고 생각한 문제나 상황에서 '나 이거 아는데?'라고 생각했지만 실수하거나 틀린 적이 있다.

YES   or   NO

☞ 해설

이것은 문제를 기억하기보다 습관처럼 익숙한 정보를 꺼내려 했기 때문에 일어난 **'메타인지 착각'**에 해당한다. 시험의 경우 특정 부분만 보고 비슷한 유형의 문제라고 생각되면 문제를 끝까지 읽지 않고 쉽다고 생각하는 성급한 판단을 내리는 것과 같다. 이것은 인지능력이 아닌 메타인지의 착각 때문에 일어난 현상이다.

Q : 자신의 경험이 많거나 아는 정보가 많은 분야에 대해 잘 안다는 자신감이 있다.

YES   or   NO

☞ 해설

지식과 경험을 지나치게 신뢰하면 자신의 행동을 검토하는 과정이 줄어들어 잘못된 예측에 빠질 수 있다. 메타인지에서는 이러한 현상을 **'자기 과신'**이라고 한다.

Q : '개구리 올챙이 적 생각 못 한다'는 속담과 같은 경험을 한 적이 있다.

(feat. "나는 처음부터 이렇게 될 줄 알고 있었어", "어떻게 이걸 모르지?" 등)

YES   or   NO

☞ 해설

지식을 습득하기 이전의 나를 돌아보지 못하고 이미 습득한 지식을 기반으로 결과를 평가하는 것이다. 심리학에서 **'사후과잉확신편향'**이라고 한다.

Q : 배움의 과정이 주는 다양한 의미와 재미보다 빠른 결과를 선호한다.

YES   or   NO

☞ 해설

속도에만 집중하면 생각하기 어렵게 만들고 배움의 과정에서 오는 시행착오를 용납하지 못한다. 메타인지는 자신을 모니터링하여 판단을 조절해 나가는 훈련으로, 실수나 실패 같은 **'시행착오'**는 메타인지 훈련에 좋은 환경이 된다. 반대로 실수나 실패를 용납하지 못하면 정확한 메타인지 판단이 어렵게 된다.

Q : '어렵다, 힘들다' 등의 고정관념 때문에 도전하거나 해보지 않고 포기한 적이 있다.

YES   or   NO

☞ 해설

'**고정관념**'은 자신감을 저하시킨다. 무언가 어렵다고 생각되면 그것을 '포기'라는 방향으로 흘러가게 하며, 그 이상의 공포의 대상이 되면 메타인지적 판단을 아예 하지 않게 되어 해결 방안을 모색할 수 없게 만든다. 인간은 무의식적으로 고정관념에 맞춰 행동하려는 습성이 있으며 이를 통제하기 쉽지 않다는 사실을 기억해야 한다.

Q : 강의를 듣는 것이 토론하는 것보다 '내용 이해가 잘 된다'고 생각한다.

YES   or   NO

☞ 해설

강의는 자신이 알아야 할 내용을 선생님이 미리 다 말해주니 '이해가 잘 된다'는 메타인지 착각 가능성을 높인다. 메타인지 관점에서는 이를 '**과신**'이라고 본다. 배운 지식을 장기기억에 저장하기 위해서는 배운 내용을 스스로 생각하고 토론하고 정리하는 시간을 가져야 한다.

Q : 어떤 정보에 대해 '얼마나 아는지' 보다 '얼마나 모르는지'를

묻는다.

YES or NO

☞ 해설

'얼마나 아는지'에 초점을 맞추면 장기기억을 높이지 못하는 **'메타인지 착각'**에 빠질 수 있다. 어떤 정보에 대해 쉽게 잊어버릴 수 있다는 사실을 인정하고 '얼마나 모르는지'를 염두에 두어야 한다.

Q : 길을 가다 발을 헛디뎌 넘어졌을 때 주변 사람들을 의식해 길바닥에 돌부리를 탓한 적이 있다.

YES or NO

☞ 해설

상대의 행동을 판단할 때 외부적 요소보다 내부적 요소에 더 중점을 두는 경향인 **'기본적 귀인 오류'** 때문이다. 어떤 행동의 원인을 찾아보는 '귀인'을 자신의 실수로 발을 헛디뎌 넘어진 것이 아닌 자신이 처한 상황, 튀어나온 돌부리에서 찾으려고 하는 것이다. 타인이 같은 실수를 했다면 돌부리가 아닌 그 사람의 잘못으로 발을 헛디뎌 넘어진 것으로 생각한다. 실수나 실패는 누구에게나 일어날 수 있는 일이다.

Q : 알고 있는 사실인데도 다른 정보가 더 있는지 찾아보다가 의사 결정을 제대로 못한 적이 있다.

YES   or   NO

☞ 해설

의사 결정에 필요한 정보는 이미 충분한데 더 많은 정보가 더 나은 의사 결정을 하게 된다는 믿음으로 더 많은 자료를 찾는 **'정보 편향'**이다. 너무 많은 정보는 사실 유무 확인이 어려울 뿐더러 잘못된 판단을 내릴 확률이 높으며, 의사 결정의 때를 놓치거나 시도조차 하지 못하는 상황을 만들기도 한다.

메타인지 테스트

자신에 대한 이해도가 얼마인지 간단한 메타인지 테스트를 통해 알아보자.

☞ 테스트 방법은 다음과 같다.

1. 다음의 총 20개의 단어를 30초 동안 보고 잘 기억해 두자. 단, 적어 두면 안 된다.

2. 20개의 단어 중에서 내가 몇 개의 단어를 기억하여 쓸 수 있을 것 같은지 예상 개수를 숫자로 적어보자.

3. 빈 종이에 기억나는 단어들을 적는다.

4. 예상 개수와 실제 암기하여 적은 단어의 개수가 얼마나 일치하는지 확인해 보자.

자전거	수첩	이불	함박눈
우산	드라마	연필	가랑비
태극기	가방	우체국	접시
자몽	색종이	양말	수세미
비타민	수면	달리기	교육

☞ 예상 개수와 암기한 개수의 차이가 적을수록 메타인지가 높은 편이고, 차이가 클수록 자신에 대한 정확한 이해가 부족하다.

Ⅲ 독서하며 메타인지

독서를 통한 자아성찰은 설명하지 않아도 일반적일 만큼 잘 알려져 있다. 독서를 통한 간접경험의 가성비를 따라올 수 있는 것은 없다.

또한 우리 뇌의 전전두엽이 두껍고 활성화될수록 메타인지 능력이 뛰어나다고 한다. 전전두엽을 활성화시키기에 독서만큼 좋은 방법이 없다. 독서를 할 때 뇌는 시지각 영역, 전두엽 영역, 전전두엽 영역 등 주요 기능들이 동시에 활성화된다. 책을 읽을 때 뇌가 전방위적으로 활성화된다는 것은 뇌과학 연구를 통해서도 확인되었다. 뇌를 활성화시키기에 독서만큼 좋은 방법이 없다.

'나'를 알고 능력을 키우기 위해서는 독서가 필요하다.

전지적 관찰자 시점

어떤 상황을 객관적으로 보고, 생각하며, 판단하는 일은 쉽지 않다. 특히 자신에 대한 문제는 더욱 그렇다. 문제를 객관적으로 보는 경험이 적거나 훈련되어 있지 않기 때문이다.

객관적인 시각을 키우기 위해 가장 좋은 방법은 **'제 3자의 입장에서 관찰'**하는 것이다.

생각은 말 그대로 자신의 머리로 하는 행위이다. 머리속의 생각이 정리되지 않으면 말로 설명하기 어렵듯이, 자신에 대한 인지가 명확하지 않은 상태에서는 객관적으로 보기 어려울 수 있다는 것이다.

생각을 글로 적어보자. 생각을 글로 적으면 '나'의 생각에서 나와 '눈'이라는 기관을 통해 '글'이라는 외부매체로 인식할 수 있게 된다. 생각을 글로 적으면 자신의 감정이나 모습을 보다 객관적으로 볼 수 있다.

또한 해결하고 싶은 문제를 구체적으로 나누어 글로 적으면, 큰 문제가 세분화되어 상황을 보다 명확하게 인식할 수 있어 해당 문제를 해결하기 용이하게 만든다.

객관적인 생각이나 판단이 필요하거나 자신의 해결하고 싶은 상황을 예시를 참고하여 문제 형식으로 만들어 작성해 보자.

☞ 다음 예시 문제를 읽으며 문제가 생긴 원인과 해결 방안을

생각해 보자.

< 예시 >

회사 승진을 위한 팀별 보고서를 제출해야 하는 상황이다.

평소 친하게 지내던 직장동료와 한 팀을 이뤄 협업하여 보고서를 완성해야 한다. 처음에는 서로의 의견을 들어주었으나 회의를 하면 할수록 의견이 계속 엇갈린다. 같이 회의하는 시간이 불편하게 느껴진다. 상대방도 나도 서로가 자신의 의견이 관철되기를 바라고 있다. 보고서 제출 기한은 다가오는데 진전기미가 보이질 않는다.

이 문제가 생긴 원인과 해결방안은 무엇일까?

문제1. 처음에는 서로의 의견을 들어주었으나 회의를 하면 할수록 의견이 계속 엇갈린다.

☞ 원인 :

☞ 해결 방안 :

문제2. 같이 회의를 하는 시간이 불편하게 느껴진다.

☞ 원인 :

☞ 해결 방안 :

문제3. 상대방도 나도 서로가 자신의 의견이 관철되기를 바라고 있다.

☞ 원인 :

☞ 해결 방안 :

문제4. 보고서 제출기한은 다가오는데 진전기미가 보이질 않는다.

☞ 원인 :

☞ 해결 방안 :

< 예시 답안 >

문제1. 처음에는 서로의 의견을 들어주었으나 회의를 하면 할수록 의견이 계속 엇갈린다.

☞ 원인 : 보고서에 대한 서로의 생각이 달라 합의가 이루어지지 않고 있다.

☞ 해결 방안 : 보고서의 초점에 맞추어 합의점을 찾아야 한다.

문제2. 같이 회의를 하는 시간이 불편하게 느껴진다.

☞ 원인 : 의견이 엇갈리니 나와 맞지 않는 사람이라는 생각이 들어 불편하게 느껴졌다.

☞ 해결 방안 : 상대에 대한 불편한 마음은 상대를 객관적으로 판단하기 더욱 어렵게 만든다. 상대방의 장점을 생각하며 의도적으로 생각을 바꿔야 한다.

문제3. 상대방도 나도 서로가 자신의 의견이 관철되기를 바라고 있다.

☞ 원인 : 두 사람 모두 자신의 의견이 상대방의 의견보다 낫다고

생각하고 있다.

☞ 해결 방안 : 누구의 의견이 보고서에 더 적합한지, 양쪽 의견의 장단점을 객관적으로 평가할 수 있는 방법을 찾는다.

문제4. 보고서 제출 기한은 다가오는데 진전 기미가 보이질 않는다.

☞ 원인 : 서로 자신의 주장을 꺾을 생각도 양보할 생각도 없다.

☞ 해결 방안 : 위에서 찾은 객관적 평가 방법의 결과에 따라 합의하여 작성 후 제출한다.

견주어 보기

'견주어 보기'는 내가 책 속의 등장인물의 입장이 되어 '나'를 알아가는 방법이다. 책을 읽으며 여러 상황에 대처하는 등장인물의 입장이 되어 생각해 보고 기록해 보자.

독서는 자기 자신을 되돌아보게 하는 자아성찰의 대명사와 같은 방법이다. 자신의 목표를 이룬 성공한 사람들이 수많은 문제상황에서 어떻게 대처하고 해결했는지 그들의 직접경험을 전달한다.

그들을 통하여 나의 말과 행동에 대해 뒤돌아보게 되고, 등장인물과 비슷한 상황 속에 있는 나를 발견할 때면 공통점보단 차이점을 더 많이 발견하게 된다.

같은 상황 속의 나의 대처가 현명하지 못했다는 것, '당연한 것'이라고 생각했으나 '당연하지 않은 것'들이 생각보다 많다는 것을 알게 된다. 별거 아닌 일이라 생각했으나 많은 준비가 필요하다는 것을 알게 하며, 나의 생각보다 현실은 더 많은 노력을 요구한다는 것을 깨닫게 해준다.

책 속의 다양한 간접경험에 대한 자신의 생각을 기록해 보며, 자신의 부족한 점을 알고 보완할 점을 찾는 메타인지 능력을 키우는 방법이다.

☞ 자신의 롤모델이나 목표와 관련된 인물, 궁금했던 인물 등 자신이 원하는 책을 읽으며, 등장인물에게서 배울 점이나 자신의 보완할 점 등을 포스트잇을 사용해 표시해 놓고, 독서 중 또는 독서 후 해당 내용과 그에 대한 자신의 생각을 기록한다.

내용에 따라 포스트잇의 색상을 다르게 표시해 놓으면 기록할 때 원하는 내용을 찾거나 구분하여 정리하기 용이하다.

다음 표의 예시를 참고하여 기록해 보자.

< 예시 >

등장인물은 이렇게	무리한 사업확장으로 회사가 파산 직전이다. 현재 할 수 있는 일은 회사 상품을 하나라도 팔기 위해 전단지를 들고 길거리에 나가 사람들에게 돌리는 것뿐이었다. 하루아침에 사장에서 빈털터리로 처참한 마음 추스를 길 없으나 밑바닥부터 시작한다는 마음으로 제품을 팔기 위해 이른 아침 지하철역으로 나섰다.
나라면 어떻게	현실을 받아들이기도 힘든데 자존심까지 내려놓아야 하는 일이 쉽지만은 않을 것 같다.
보완할 점	성장하기 위해서는 자존심을 내려 놓아야 할 때 내려놓을 줄 아는 연습이 필요하다.

메타인지 일상에 적용하기

독서계획을 세운 후 또는 일을 하기 전, 주어진 시간이나 정해진 일정 동안 **'자신이 업무를 몇 % 달성할 수 있을지 예측'**해 보자.

그리고 계획이나 업무 옆에 달성률을 숫자로 기록해 보면 자신의 과업에 대한 메타인지 확인이 가능하다. 예측률과 달성률의 차이를 확인하여 메타인지 훈련에 참고하자.

목표나 계획은 실패하려고 세우는 것이 아니다.

성취할 수 없는 막연한 목표나 계획은 실패 확률을 높인다. 성취할 수 있는 작은 목표를 세우고 구체적인 계획을 숫자로 표시하여 세워야 한다.

예를 들어, '아침 6시에 일어나 30분 독서하기' 계획을 세웠다고 한다면, 먼저 자신이 정해진 아침 시간에 일어날 수 있는지 알아야 한다. 아침잠이 많은 사람이거나 취침시간이 늦거나 새벽시간이라면 장기적으로 실패할 확률이 높다.

계획은 실패하려고 세우는 것이 아니기 때문에 나에게 맞는 성공할 수 있는 계획을 세우고 차츰 조정해 나가야 한다.

☞ 먼저 하고 싶은 계획이 아닌 실천할 수 있는 계획을 세워 성취감을 올리자.

'칭찬은 고래도 춤추게 한다'는 말처럼 작은 일일지라도 성취감은 마음을 춤추게 하여 더 큰 성취를 계획하는 동기부여가 된다.

< 예시 >

'출퇴근 시간 지하철에서 15분씩, 하루 30분 독서하기'

▶ 예상률 _____ %   ▶ 실행률 _____ %

계획 실행 전과 후, 실행할 수 있는 예상률과 실제 실행률을 숫자로 기록하여 비교해 보며 성취 난이도를 조절하자.

Ⅳ 말과 글로 메타인지

말로 하는 것은 우리의 무의식을 의식 상태로 전환시켜 준다. 글로 쓰는 것은 감정조절 능력을 향상시키는데 도움이 된다.

감정조절을 담당하는 전두피질영역은 감정을 말이나 글로 표현했을 때 능력이 향상된다고 한다. 감정조절은 자기 통제력과 연관되어 있어 자기 행동을 통제할 수 있게 되어 자신의 목표를 이룰 수 있는 가능성을 높여준다.

셀프 대화

자신과 관련된 생각이나 감정, 고민, 장단점 등을 주제로 **'혼자서 대화를 이어가는 방법'**이다. 자기 자신에게 이야기하는 것이기 때문에 진솔한 대화를 이어갈 수 있다.

앞서 말했듯이 메타인지는 자신의 부족한 점을 찾아 보완할 수 있도록 훈련하는 것이다.

셀프 대화의 목적은 자신의 정체성을 알아가며 부족한 부분을 인정하고 앞으로 나아가기 위한 자아성찰을 위한 것이다. 대화 중 회의적인 생각이 든다면 대화의 목적은 자존감을 낮추는 데 있지 않으므로 아래 예시를 참고하여 긍정적 정서를 유발할 수 있는 멘트로 전환하자.

< 예시 >

"솔직하게 말해줘서 고마워."

"부족한 부분을 하나 더 득템했구나!"

"부족한 부분을 알았으니 이제 보완해서 성장할 일만
    남았다." 등.

글쓰기 주제는 '나'

글로 쓰는 것은 자신의 생각과 감정을 분명하게 해준다.

책을 통해 작가의 의도와 생각을 알 수 있듯이, 자신이 쓴 글을 통해 자신을 알 수 있다.

자신을 의식적으로 관찰하지 않으면 주관적인 자아를 객관적으로 관찰하기 어렵다. 생각과 감정이 복잡할수록 더욱 그렇다.

자신의 생각을 의식적으로 관찰하기 위한 가장 좋은 방법이 글로 쓰는 것이다. 말하듯이 대화체로 **'글을 쓰며 '나'와 대화를 이어가는 것'**이다.

'글'은 우리의 '눈'이라는 감각기관을 통해 객관적으로 평가할 수 있게 하며 글을 쓰는 행위자체는 전두엽을 활성화시키는데 도움이 된다.

☞ '나'와 관련된 주제로 글을 써보자.

글로 쓰려고 하면 어렵게 느껴질 수 있다. 문체에 신경 쓰지 말고, '셀프 대화'와 같이 자연스럽게 대화하며 말하듯이 편하게 써보자.

기록하는 손이 생각을 따라갈 수 없는 경우가 생길 수 있다. 생각을 계속 글로 이어가야 하는 상황이라면 손으로 쓰는 것보다 컴퓨터로 작성하는 것이 좋다.

또한 글과 그림으로 구조화하여 시각화하는 방법인 '마인드맵'으로 '나'에 대한 정보를 정리해보자. 자신의 강점, 약점, 보완할 점 등 '나'에 대한 요소들을 한눈에 살펴보고 수정, 보완할 수 있어 메타인지에 용이하다.

나를 되돌아보는 시간

☞ 오늘 하루를 되돌아보며 자신의 말과 행동에 대해 생각해 보는 시간을 가져보자.

자신의 말과 행동이 의도와 다르게 상대방에게 전달되었거나 의도치 않게 나왔던 말과 행동은 없었는지 생각해보자. 잘한 것, 개선해야 할 것이 무엇인지, 왜 그런 말과 행동이 나왔는지 그 이유가 무엇인지 생각해 보자.

생각에서 끝나면 안 된다. '세 살 버릇 여든까지 간다'는 속담처럼, 실수를 인정하고 개선하지 않으면 다음에도 같은 실수를 할 확률이 높고 그것이 반복되면 습관으로 굳어질 수 있다.

오늘 하루를 되돌아보는 사람이 새로운 내일을 준비할 수 있다. 자신을 되돌아본다는 것은 변화의 의지를 나타내며 이는 성장하는 내가 되기 위한 행동의 징조가 된다.

'나'를 잘 아는 것은 생각하는 것보다 어렵다. 또한 나의 개선할 부분을 알아도 습관으로 굳어진 자신의 말과 행동을 바꾸기도 어렵다.

그럼에도 노력해야 한다.

'나는 변화를 바라지 않는다'고 생각할지라도 세상은 빠르게 변해가고 있다. 우리는 그 세상속에서 살아가야 한다.

나의 인생을 다른 사람이 대신 살아줄 수 없다는 사실은 변하지 않는다. 어떤 선택과 결정을 할지라도, 그 선택과 결정한 결과대로 삶을 살아가야 하는 것은 '나' 자신이라는 사실을 기억하자.

100세 인생을 바라보는 시대다.

자기자신을 잘 알 수 있는 메타인지 방법을 찾고, '나'를 알아가는 노력을 인생의 우선순위에 두어야 한다.

하루 5분일지라도, '나'를 아는 투자를 시작하자.

인생의 현명한 투자자가 되자.

"작은 변화가 일어날 때 진정한 삶을 살게 된다."

− 톨스토이 −

PART 2

성공 독서를 향하여

Ⅰ 성공과 독서

"진정한 독서는 훈련을 통해 몸을 단련하듯 우리의 생각을 단련하는 것이다."

– 알베르트 아인슈타인 –

책 한 권이 통째로 나의 인생책이 되기도 하며, 책 속의 수많은 문장 중 오직 한 부분이 '유레카'처럼 다가와 인생 명언이 되기도 한다.

그리고 그로 인해 인생의 변화가 시작되기도 한다.

변화가 시작됐다는 것은 그 책을, 문장을 눈으로 보는 것에서 끝나지 않고 무언가 깨달은 것으로 인해 행동으로 나타났다는 뜻이 된다. 즉 자신의 것으로 체화된 것이다.

성공을 위한 독서는 이렇듯 책을 통해 얻은 것을 내 것으로 만들어 자신의 삶에 적용하고 활용할 수 있도록 체화하는 독서가 되어야 한다.

성공 독서의 핵심은 책을 '체화'하는 것이다.

그렇다면 어떻게 하면 책을 내 것으로 만들어 활용하는 체화하는 독서를 할 수 있을까?

또한 체화하는 독서는 정말 인생의 변화를 불러오는가?

위의 질문에 대한 답은 이미 수 세기 전부터 책 속에 기록되어 있었다.

질문에 대한 근거와 방법을 살펴보자.

Ⅱ 독서로 성공할 수 있는 근거

아래 명언들의 공통점을 찾아보자.

"당신의 인생을 가장 짧은 시간에 가장 위대하게 바꿔줄 방법은 무엇인가? 만약 당신이 독서보다 더 좋은 방법을 알고 있다면, 그 방법을 따르길 바란다. 그러나 인류가 현재까지 발견한 방법 가운데서만 찾는다면, 당신은 결코 독서보다 더 좋은 방법을 찾을 수 없을 것이다."

- 워런 버핏 -

"오늘의 나를 있게 한 것은 우리 마을 도서관이었고, 하버드 졸업장보다 소중한 것이 독서하는 습관이다."

- 빌 게이츠 -

"당신이 내일 아침에 오늘보다 더 나은 사람이 되어 깨어나고 싶다면 잠들기 전에 책을 펴고 단 세 장이라도 읽어라."

- 오프라 윈프리 -

명언 속의 공통점을 찾았는가?

그렇다. 이들은 모두 독서가이자 독서광이며 독서를 강조하고 있다.

위의 명언만 읽어도 독서가 사람을, 인생을 바꿀 수 있는 근거는 충분하다. 워런 버핏, 빌 게이츠, 오프라 윈프리 자체가 위대한 삶을 살고 있는 살아있는 증인들이다.

그들은 독서를 빼고 그들의 현재를 말할 수 없다고 한다.

또한 독서는 더 나은 사람이 되게 하며, 부와 명예를 가져다주며, 변화된 인생을 살게 해준다고 말하고 있다.

그들은 독서의 위력을 알았고 몸소 체험했으며 현재도 진행 중이다. 그러지 않고서야 독서가 인생의 변화를 위한 가장 위대한 방법이라고 운운할 수 없지 않겠는가?

독서를 통해 인생의 변화를 맞이한 인물들은 일일이 나열하지 않아도 수없이 많다. 위대한 인물 중 독서가가 아닌 사람을 찾기가 더 쉬울 것이다.

Ⅲ 위인들의 독서와 삶

독서의 위력은 대단하다. 세종대왕, 에이브러햄 링컨, 오프라 윈프리 등 수많은 위인들의 삶이 그 사실을 증명한다.

세종대왕

세종대왕은 독서하면 빼놓을 수 없는 독서광의 대표 인물이자 위대한 인물이다.

어린 시절부터 세종은 책에 관심이 많았다. 매일 밤늦게까지 책을 읽어 눈병이 나서 아버지 태종의 명으로 책을 읽지 못하게 되었으나, 방안에서 발견된 책 한 권을 발견하고 그 책이 너덜너덜해질 때까지 읽었다는 일화는 독서를 향한 세종의 열정을 엿볼 수 있다.

세종의 독서법은 백 번 읽고 백 번 쓰는 '**백독백습**'이다.

책을 백 번을 읽고 백 번을 쓰는 이유는 책의 내용을 암기하기 위한 것이 아닌, 책 속의 모든 지식을 내 것으로 습득하기 위함이다.

우리도 책을 읽다가 이해가 되지 않는 부분은 다시 돌아가서 읽는다. 해당 부분을 여러 번 반복해서 읽으면 처음에는 이해가 가지 않던 부분이 이해가 되는 것처럼 말이다. 세종은 책을 토시 하나까지 이해하기 위해 읽고 또 읽었다.

세종은 눈으로 하는 독서가 아닌 이해하는 독서를 넘어 자신의 것으로 체화하는 독서를 했다.

단순히 내용만 이해하고자 했다면 백 번을 읽고 백 번을 쓰지 않았을 것이다.

실제로 백 번을 읽고, 백 번을 썼는지는 알 수 없다.

그러나 책 한 권의 한 문장 한 문장을 자기 것으로 소화하기 위해 읽고 또 읽으며, 생각에 생각을 거듭하며, 완전히 이해하며, 잊지 않기 위해, 꺼내 쓰기 위해 달달 외울 정도로 반복 독서를 했다는 사실은 바뀌지 않는다.

우리가 알다시피 세종대왕 시절 조선은 태평성대를 이루었고 한글 창제를 비롯해 농사법, 역사, 법률, 문학, 지리서, 의학서, 어학서, 천문학, 음악 등 모든 분야에 걸쳐 출판의 황금시대를 이루었다.

세종대왕이 이렇게 다양한 분야에서 두각을 나타낼 수 있었던 것은 그의 독서법 때문이 아니라고 말할 사람은 없을 것이다.

어린 시절부터 끊임없이 독서하며 책을 온전히 자기 것으로 소화하는 과정을 통해 수많은 지식들을 축적했다.

독서의 유익함과 중요성을 알았다. 나라의 학문 발전을 위해 집현전을 세우고 인재 양성을 위해 '사가 독서(신하들이 학문에 전념할 수 있도록 휴가를 주는 것)' 제도를 만들기도 한 세종이다.

그 지식을 나라와 백성을 위해 활용했고 세종의 백성을 향한 애민 정신은 '한글 창제'라는 위대한 걸작을 탄생시켰다.

책 한 권, 한 권을 반복하여 읽고 쓰며 자신의 것으로 체화하는 세종대왕의 독서 태도는 천재적인 두뇌로 만드는 결과를 만들었다.

에이브러햄 링컨

미국의 제16대 대통령으로 미국에서 가장 존경받는 대통령 중한 명으로 꼽힌다.

링컨은 대통령이 되기 전까지 30년이 넘는 세월 동안 선거에 도전했다. 그러나 1834년 일리노이 주의회 의원 당선과 1846년 연방 하원 의원 당선을 제외하고 8번의 낙선을 거듭한다. 두 번의 당선 또한 낙선 후 재출마하여 당선되었다. 그야말로 실패의 연속이었다.

실패를 경험하면 그 순간은 실망감으로 좌절하기도 하며 실패의 쓴맛을 감추려 해도 감추기 어렵지 않던가.

그러나 실패를 받아들이는 링컨의 태도는 달랐다.

링컨은 선거에 실패했다는 소식을 들으면, 오히려 실패와 거리가 먼 것처럼 음식을 배불리 먹고 머리를 단장하는 모습을 갖추었다고 한다.

그 이유는 무엇일까?

링컨은 또 다른 시작을 위한 몸과 마음을 준비할 수 있는 마인드를 갖추고 있었다.

실패에 굴하지 않고 30년이 넘는 세월 동안 이러한 몸과 마음의 자세를 갖는다는 것은 어려운 일이다.

오랜 실패에도 좌절하지 않고 다시 앞으로 나아가는 링컨의 태도는 그가 읽은 책을 통해 만들어졌다고 한다.

링컨이 실패 속에서도 좌절하지 않고 앞으로 나아갈 수 있었던 것은 《성경》에 기록된 대로 행동했기 때문이라고 말한다.

링컨은 학교 교육을 받지 못해 독학으로 공부했으며 집에 유일하게 있던 《성경》은 그가 가장 많이 읽은, 그에게 가장 큰 영향을 끼친 책이었다.

링컨은 강한 정신력을 《성경》을 통해 얻었다. 집에 유일하게 있던 책이기도 하며 어린 시절 돌아가신 그의 어머니의 유언에 따라 매일 새벽 4시에 일어나 《성경》을 읽었다고 한다.

링컨은 하나님의 살아계심을 믿었고 《성경》에 쓰인 하나님의 말씀을 그대로 믿었다고 한다.

하나님의 말씀은 링컨에게 끊임없는 실패속에서도 좌절하지 않고 비전을 향해 끝까지 나아갈 수 있는 놀라운 능력으로 나타났다.

링컨은 《성경》 속 말씀처럼 언젠가 하나님이 자신에게 기회를 주실 것을 믿으며 그날을 위해 끊임없이 배우며 자신을 갖추어 갔다고 한다.

링컨은 어린 시절부터 책을 항상 가까이하며 배우기를 힘썼다. 책을 많이 읽을 수 없는 환경이었지만 좋은 양서를 반복적으로 읽으며 자신의 것으로 체화했다.

링컨은 책 읽기에 힘썼다. 읽을 책을 구하기 위해 몇 km씩을 걸어 먼 마을까지 가서 빌렸으며, 모자에 항상 종이와 연필을 넣어

다니며 좋은 문장을 메모하여 반복적으로 읽고 자기 것으로 만들기 위해 힘썼다고 한다.

빌려다 읽은 《워싱턴 전기》는 조국에 대한 사랑과 충성심을 일깨워 주었으며, 《천로역정》은 링컨에게 억제할 수 없는 기쁨과 먹고 자는 것을 잊을 만큼 책에 온전히 심취하게 만들어 읽고 또 읽게 만들었다고 한다.

읽고 또 읽으며 생각과 마음으로 받아들인 좋은 책들이 그를 존경받는 대통령으로 만들었다.

오프라 윈프리

오프라 윈프리는 방송인이자 사업가로 '토크쇼의 여왕' 이라 불리웠다. 윈프리는 어린시절 상당한 고난 가운데 살았다. 지금의 윈프리를 상상하기 어려울 정도로 말이다.

고통스런 성장 과정 속에서도 윈프리는 자신의 삶을 포기하지 않고 성공하는 삶으로 전환시켰다. 윈프리는 자신의 성공의 원천을

'독서'라고 방송과 책을 통해 밝힌 바 있다.

윈프리는 새어머니와 살게 됐을 때 새어머니가 그녀에게 책 읽기와 독후감 요약, 발표 등 독후활동을 시켰다는 것에 감사함을 전한다.

윈프리는 항상 책과 가까이했다. 《새장에 갇힌 새가 왜 노래하는지 나는 아네》를 읽으며 삶의 덫에 걸려 찢기고 짓눌린 새장 속의 새가 노래하는 모습에서 자신의 인생을 발견했다고 한다.

윈프리는 책을 통해 슬픔과 고통을 이해와 공감하는 능력으로 승화시켰다. 그녀는 독서를 통해 사람들의 아픔과 슬픔을 이해하고 공감하며 진정한 능력을 길렀다.

윈프리는 성공을 위해 독서를 한 것이 아니었다. 책에서 길을 찾고, 책과 하나가 되는 독서를 통해 변화되어 갔고, 사람의 마음을 이해하고 품을 수 있는 능력을 갖게 되었다.

윈프리의 감정 전달능력은 30분짜리 낮은 시청률의 토크쇼를 한 달 만에 가장 인기있는 토크쇼로 만들었다. 우리가 잘 아는 '오프라 윈프리 쇼'로 전국으로 방영되는 토크쇼가 되었다.

윈프리는 독서의 위력을 알았다. 윈프리는 예전 '미국을 또다시 책 읽는 나라로 만들겠다'며 북 클럽을 조직했고 윈프리가 추천한 책들은 베스트셀러를 기록했다.

"책이 오늘의 나를 만들었습니다. 책을 읽으면서 받았던 위안과 은혜를 사람들에게 되돌려주고 싶습니다."

윈프리가 독서 운동을 펼치면서 강조했던 말이다.

윈프리는 독서가 희망이라고 말하며 책은 선망하는 사람들을 올려다볼 수만 있는 게 아니라, 그 자리에 오를 수도 있다는 사실을 보여준다고 말한다.

오프라 윈프리는 책을 통해 자신을 성장시키는 독서를 했다.

윈프리는 책을 읽으며 빠져나올 수 없을 것 같은 수렁 같은 자신의 삶속에서 자유의 길을 찾았다. 그녀는 그 자유를 사람들과 소통하며 전파한다.

오프라 윈프리는 책을 눈으로 읽은 것이 아니라, 마음으로 읽었다.

책에서 느낀 기쁨과 환희와 자유를 자신의 것으로 받아들였다. 책을 자신의 것으로 체화하는 과정 없이 그저 눈으로만 보고, 또한 자신을 믿지 않았다면 '책이 오늘의 나를 만들었다'는 그녀의 말처럼 오늘날의 오프라 윈프리는 있을 수 없었을 것이다.

그들의 공통점

그들에게는 공통점이 2가지 있다.

하나는, 그들은 독서를 통해 성공했지만 억지로 필요에 의해서 독서를 한 것이 아니라는 것과 다른 하나는, 그들은 책을 읽고 배운 것을 자기 것으로 만드는 체화하는 과정이 의도적이 아닌 자연스럽게 이어졌다는 것이다.

그렇다면 어떻게 지속적인 독서를 끊임없이 스스로 찾아서 할 수 있는 것일까?

그렇다면 어떻게 책을 통해 배우고 체화하는 과정이 당연한듯 자연스럽게 이어질 수 있는 것일까?

이것이 성공 독서의 핵심이자 원천이 된다.

스스로 하게 하는 주체는 '나'이며 당연한듯 행동하는 주체도 '나'이다.

그렇다면 무엇이 '나'를 스스로, 당연한듯 행동하고 움직이게 만드는가?

Ⅳ 성공 독서의 원천

'평양 감사도 제 싫으면 그만이다'라는 속담이 있다.

아무리 평양의 '감사(관찰사)'라는 높은 벼슬도 제 마음에 들지 않으면 억지로 시킬 수 없다는 뜻이다.

명품 옷이 눈앞에 있어도 자신의 취향이 아니거나 어울리지 않으면 입지 않거나 입고 나간다 할지라도 입고 있는 내내 신경이 쓰이지 않던가.

하기 싫은 일을 하거나 억지로 하는 일은 최선을 다할 수 없다. 천하 진미가 내 눈앞에 차려져 있어도 자신이 싫어하는 음식이거나 먹고 싶지 않으면 즐기지 않는 것과 같다.

그렇다. 우리는 마음먹은 대로 움직인다.

먹고자 하면 먹고 천하의 진귀한 음식이라도 내가 싫으면 먹지 않는다. 자고자 하면 불편한 자세일지라도 잠을 청하고, 아무리 몸이 피곤해도 좋아하는 사람을 만나기 위해서는 그 순간은 초인이 된 것처럼 장거리 연애도 문제되지 않는다.

마음이 즐거우면 힘들고 피곤할지라도 좋아하는 일을 하게 된다.

자신이 마음먹은 대로 행동한다는 것이다.

즉, 행동은 '마음'을 먹으면 저절로 나온다.

자신의 마음가짐이, 성공의 비밀이자 원천이다.

무슨 일을 하든지 '하고 싶은 마음'이 있어야 한다.

선택이나 결정은 자신의 의지인 내적인 역량이다. 모든 일의 선택과 결정이 자신의 의지대로 정해진다.

내적인 역량이 클수록 목표한 바를 실현하기 위한 자발적인 행동은 자연스럽게 열정으로 나타난다. 세종대왕, 에이브러햄 링컨, 오프라 윈프리, 그들이 그랬던 것처럼 말이다.

내 것으로 만들겠다는 '마음'이 있어야 한다.

책은 우리에게 많은 것은 알려주지만 우리는 모든 것을 수용하지는 않는다. 책에도 양서와 악서가 있고 다양한 정보가 넘쳐나는 이 시대에 양질의 지식과 정보를 선택적으로 수용하는 것은 당연한 일이겠다.

그러나 내 생각이 굳게 자리 잡고 있으면 배움이 들어가기 어렵다. 내 생각이 옳다고 생각하기 때문에 다른 사람의 의견은 그냥 의견이 될 뿐, 한 귀로 듣고 한 귀로 흘리게 된다.

듣고자 하는 마음이 있어야 들을 수 있다.

듣고, 배우려는 자세가 필요하다.

자기 발전을 추구하는 '듣는 귀'와 '마음의 자세'가 필요하다.

빌 게이츠는 매일 잠들기 전 책을 읽으며 일주일 정도 휴가를 갖고 책만 싸서 싱크(Think) 카페를 간다고 말하며, 워런 버핏은 하루에 5~6시간을 오로지 읽고 또 읽으며 책에서 정보를 얻는다고 말한다. 책에서 무언가 얻어 내 것으로 만드는 자세가 필요하다.

배우려는 자세, 이것은 부자들의 공통된 특징이기도 하다.

듣기 싫거나 배우고자 하는 마음이 없으면 의도하지 않아도 한 귀로 듣고 한 귀로 흘리게 된다.

무언가를 배우고 가르침을 받을 때 긍정적인 마음자세로 보고, 읽고, 들으면, 호감으로 다가와 이해와 공감이 되는 부분이 많아지고 깨닫는 것과 얻는 것이 많아진다.

받아들이는 마음이 필요하다.

탁월한 선택이나 결정을 하기 위해서는 내적인 역량, 마음을 크게 키워야 한다.

마음에는 크기 제한이 없다.

좋아하는 연예인이 1명이 될 수도 있고, 10명이 될 수도 있다. 10명의 연예인을 동시에 좋아하는 것도, 100명을 좋아할지라도 가능하다. 전 세계의 모든 연예인이 다 좋다고 한들 내가 좋아하고자 하면 모두 좋아할 수 있지 않겠는가.

다만 좋아하는 대상이 생기면 다른 것들은 관심의 대상에서 멀어져 눈에 들어오지 않는다. 자신이 열렬히 좋아하는 그것이 자신의 마음을 차지하고 있기 때문인 것처럼 말이다.

좋아하는 것이 한쪽으로 치우치면 다른 것을 객관적으로 받아들이기 어렵게 한다. 또한 싫어하는 것도 한쪽으로 치우치면 좋은 것도 객관적으로 받아들이기 어렵게 한다.

많은 것을 긍정적으로 수용할 수 있는 마음의 크기를 키워야 한다. 받아들이는 마음, 이해하는 마음, 공감하는 마음, 겸손한 마음, 배려하는 마음 등, 이 모든 것은 긍정적 정서를 유발해 마음의 크기를 키울 수 있는 요소들이다.

특히, 감사하는 마음은 '나'를 성장의 지름길로 인도한다.

성공에 관련된 수많은 책에서 빠지지 않고 언급되는 것이 '감사'
이다.

그 이유가 무엇일까?

감사는 긍정적 정서를 유발한다.

긍정적인 자세를 갖는 것은 의학적으로도 베타 엔도르핀을 분비
하여 스트레스를 줄이고 행복감을 증가시킨다고 한다.

긍정적 정서의 유발은 문제해결력이나 판단력을 관장하는 전두엽
의 기능을 활성화시킨다고 한다. 반면 스트레스, 짜증, 분노, 공포
등의 부정적인 정서는 편도체를 활성화시켜 전두엽의 기능을 현저
하게 악화시킨다고 한다.

스스로 감정조절을 잘해 낼 수 있는 사람이 창의적 문제해결력을
발휘할 수 있다고 한다.

특히 긍정적 감정을 스스로 불러일으킬 수 있는 능력이 중요하다
고 한다. 코넬 대학의 심리학자 앨리스 아이센 교수팀은 오랜 연구
를 통해 긍정적 정서가 창의성과 문제해결능력을 향상시킨다는 사
실을 입증했으며, 긍정적 정서가 대인관계 능력뿐만 아니라 무언가
새로운 것을 찾으려는 호기심과 적극성도 향상시킨다고 한다.

'힘들다, 지친다, 짜증난다, 하기 싫다, 우울하다……' 부정적인 말은 부정적인 정서를 느끼게 하고 그로 인해 뇌의 기능은 악화되어 무엇인가 새로운 것을 도전하거나 시도하는 것을 멀리하게 만든다.

즉, 자신을 발전하지 못하게 하고 현실에 안주하거나 도태되게 만드는 것이다.

'NO'라는 말 대신 'YES'라는 말을 선호해야 하는 이유이겠다.

'감사하기'는 과학적으로도 엄청난 효과를 증명한다.

미국 신경과학자이자 스탠퍼드 대학교 의학전문대학원 교수인 앤드류 후버만에 의하면, '감사하기' 행위는 우리의 신체와 신경회로 메커니즘에 미치는 긍정적인 영향의 정도가 고강도 훈련과 운동들로 얻어지는 약리학적 효과뿐 아니라, 더 강력한 형태의 다른 방법들과 동등한 수준이라고 한다.

감사하기 또는 감사하는 습관은 사람의 정신적, 신체적 건강에 매우 강력하고 긍정적인 효과를 가져다 줄 수 있는 방법으로, 그 효과는 매우 오랫동안 지속된다는 사실을 기억해야 한다고 한다.

'감사하기'는 정신적, 신체적 건강을 긍정적인 방향으로 이끌 수 있는 매우 강력한 방법이므로 '감사하기'를 믿을 수 없는 소리라고 생각한다면, 실제 연구 결과 데이터가 증명하므로 다시 생각해 보아야 한다고 말한다.

'범사에 감사하라'는 성경구절처럼, 범사에 감사하는 마음의 자세는 긍정적 정서를 유발하여 지향하는 바를 행동으로 이어지게 하는 원동력이 된다.

'범사에 감사하다'고 말해보자.

'말이 씨가 된다'는 말처럼, 말에는 힘이 있어 자신이 말하는 대로 결과가 되어 나타난다.

유재석 또한 자신의 성공이 '마음먹은 대로', '말하는 대로'라고 말한다. 2011년 MBC TV프로그램 '무한도전'에서 유재석의 자전적 이야기를 노래로 만들어 부른 '말하는 대로' 노래처럼 말이다.

유재석도 말하는 대로 된다는 사실을 믿지 않았고 '내일은 뭐하지?'라며 하루 하루를 고민하고 걱정하며 방황했다고 한다. 이후 '마음에서 말하는 대로, 자신이 생각한 대로, 자신이 믿는 대로' 될 수 있다는 사실을 깨달았고 '평소 자신이 하던 말대로 됐다'며 방송을 통해 밝힌 바 있다.

우리 눈에 보이지 않을 뿐, 모두가 자신의 삶의 무게를 지고 살아간다. 상대방의 마음속에 들어가 볼 수 없을 뿐, 그 속에 희로애락이 없는 삶을 살아가는 사람은 없을 것이다.

마음은 외부의 영향을 많이 받지만 세상이 나에게 즐거움과 행복만을 주지는 않는다. 오히려 삶의 무게를 느끼게 하는 일들이 더 많다. 그럴 때 부정적인 마음이 들기 마련이다.

부정적인 마음이 들면 부정적인 생각을 끌어온다. 부정적인 생각은 자신을 나약하게 만들고 할 수 없는 것을 넘어 안 하는 것으로 합리화하며 끝내는 포기로 이어지기 쉽게 한다.

때문에 '이 또한 지나가리라'는 말처럼 이러한 순간을 그럼에도 감사하는 마음으로 바꿔야 하는 이유이겠다.

마음이 즐거우면 긍정적인 말과 행동이 나오고, 마음이 괴로우면 부정적인 말과 행동이 나오지 않던가.

자신이 평소에 어떤 말과 표현을 하는지 알아보고 부정적인 요소를 긍정적인 요소로 바꾸는 훈련이 필요하다.

자신이 싫어하고, 힘들어하고, 어려워하는 일을 '좋아한다, 신난다, 할 수 있다'라는 말로 바꿔보자.

자신의 말하는 대로, 마음먹은 대로 된다는 사실을 고민하지 말고 믿어보자.

'감사'라는 말을 입에 달고 살아 보자.

모든 일에 '감사하다'고 말해보자.

기분이 좋을수록 마음이 꽉 찬 듯 느껴진다.

마음이 행복하면 미소가 절로 나온다. 같은 상황에서도 긍정적으로 말하고 행동하게 된다. 의도하지 않아도 타인에게 너그러운 마음을 가지게 되고 이타적인 마음을 갖게 한다.

행복한 마음은 사람을 이상적으로 성장시킨다.

행복한 마음은 감사로부터 나온다.

'감사'라는 말은 들을 때도 마음을 즐겁게 한다. 즐거운 마음은 행복감을 느끼게 한다.

감사할 줄 아는 사람에게 도움이 이어지고, 감사할 줄 아는 사람에게 기회가 주어지고, 감사할 줄 아는 사람에게 마음이 가듯이, 감사는 긍정을 불러온다.

감정을 결정하는 건 나의 선택의 영역이다.

범사에 진심 어린 감사의 마음은 더 큰 마음의 그릇을 키워 나 자신을 성장시킨다.

행복한 마음은 나에게서 시작된다.

"늘 명심하라. 성공하겠다는 너 자신의 결심이 다른 어떤 것보다 중요하다는 것을. 대부분의 사람은 마음먹은 만큼 행복하다."

- 에이브러햄 링컨 -

V 성공 독서를 향하여

"남의 책을 많이 읽어라. 남이 고생하여 얻은 지식을 아주 쉽게 내 것으로 만들 수 있고, 그것으로 자기 발전을 이룰 수 있다."

- 소크라테스 -

배움

성공 독서를 하는 이유는, 무엇인가를 배우기 위함이다.

당신은 어떨 때 배우려고 하는가?

또한 어떨 때 정말 잘 배워보고 싶은가?

무언가 정말 원할 때, 필요할 때, 해내야만 할 때일 것이다.

배우는 것이 목적이라면 우리가 반드시 준비해야 할 것은 '배우는 자세'가 된다.

잘하고 싶은데, 잘 모를 때 배우려고 한다.

잘 안다고 생각하는데, 아는 것을 알려줄 때 배우려 하지 않는다.

내가 알고 있는 내용이 확실하지 않을 때, 타인의 말에 귀를 기울이게 된다.

내가 알고 있는 내용이 확실하다고 생각할 때, 타인의 말을 흘려듣는다.

내 생각이 맞지 않을 수 있다고 생각할 때, 타인의 생각을 수용하게 된다.

내 생각이 맞다고 생각할 때, 타인의 생각을 거부하게 된다.

책을 읽어도 내가 이미 알고 있고 할 줄 안다고 생각하면 좋은 것을 배워도 안 하는 것으로 판단하는 메타인지 오류를 범하기 쉽다.

무언가를 배울 때는 '아는 것이 없다'는 마음의 자세가 필요하다.

종이에 여백이 많을수록 많은 것을 쓰고 담을 수 있는 것은, 어쩌면 너무나 당연한 말일지도 모른다. 무언가를 배우기 전 이 말의 의미를 제대로 인지하고 있는지 생각해 보아야 한다.

안다고 생각했지만 정확히 알지 못하는 우리의 인지의 착각으로 인해, 많은 시간을 허비하며 끊임없이 성공을 위한 무언가를 찾고 또 찾고 있진 않는지, 메타인지를 통해 '나'에 대해 곰곰이 생각해 보아야 하는 이유다.

성공 독서는 자신이 '아는 것이 없다'는 마음의 자세를 전제로 배우고, 경청하고, 수용하는 것이다.

나에게 필요한 것을 반드시 내 것으로 만들겠다는 마음으로 받아들이고 체화하지 않으면 100권, 1000권의 독서, 유명 강의나 고급 정보 등의 가치는 무용지물에서 벗어날 수 없다.

자신이 잘 알지 못하고, 부족하다고 생각하기 때문에 배우려 하며 귀 기울여 듣고 받아들인다. 부족하다는 것은 겸손을 뜻하는 것이지 과소평가를 말하는 것이 아니다.

겸손의 태도는 머리가 아닌 마음을 숙이는 것이 아니던가.

상대를 존중하고 자신의 생각만을 고집하지 않는 열려 있는 마음의 태도가 있어야 한다. 겸손한 마음의 태도, 받아들일 수 있는 열려 있는 긍정적인 마음이 배움을 성장시킨다.

배우려는 자세가 준비되지 않으면 고정관념이나 선입견으로 인해 좋고 훌륭한 지식도 차단하게 된다.

같은 말이라도 자신이 인정하는 사람의 말은 수긍하나, 그렇지 않은 사람의 말은 수긍하기 어렵게 한다.

내가 '옳다'고 생각하는 게 많을수록 변화되거나 발전하기 어렵다. 나의 생각이 옳기 때문에 상대방의 생각은 나의 생각보다 못한 것이 되어버리고 상대의 의견은 무시된다.

자신의 인생에 터닝포인트가 되는 좋은 말, 필요한 말일지라도, 가려서 듣기 때문에 자신의 부족한 부분을 발견하고 깨닫기 어렵다. 그저 잔소리, 듣기 싫은 말에 불과하게 될 뿐이다.

아무리 위대한 현자가 과거에서 현재의 나에게 찾아와서 해주는 조언일지라도 내가 받아들이지 않으면 '소 귀에 경 읽기'가 된다.

머리로 아는 지식은 생각에만 머문다.

마음으로 아는 지식은 행동하게 한다.

마음이 움직이면 행동으로 나타난다. 수많은 위인, 성공자들이 그랬던 것처럼 말이다.

성공하는 독서는 음식을 섭취하는 것과 같다.

누군가 음식을 숟가락에 떠서 입 앞에 가져다주어도 자신이 입을 벌리지 않으면, 씹고, 삼키지 않으면 영양분이 될 수 없다.

입을 벌린다는 것은 배운 것을 내 것으로 받아들이는 것이며, 씹는다는 것은 노력하는 것이며, 삼킨다는 것은 내 것으로 체화하는 것이다.

양질의 좋은 음식을 감사함으로 받아들이기를 선택하면 먹는 음식이 맛있고, 씹는 것이 즐거우며, 그렇게 먹은 음식은 내 몸에 좋은 영양분이 된다.

내 몸에 좋은 영양분은 스스로 행동할 수 있는 원동력이 된다.

"이상적인 인간은 삶의 불행을 위엄과 품위를 잃지 않고 견뎌내 긍정적인 태도로 그 상황을 최대한 이용한다."

- 아리스토텔레스 -

마음

긍정적인 마음은 좋은 에너지를 만들고 시련이 찾아와도 좌절하지 않게 하며 선한 것을 추구하게 하여 원하는 바를 이루게 해준다.

많은 것이 요구되지 않는다.

긍정적인 마음을 갖기로 '결심'만 하면 된다.

긍정적인 마음이 되기로 결심하고 긍정적인 생각과 긍정적인 말을 하다 보면, 어느새 자신도 모르게 조금씩 긍정적으로 바뀌어 가는 나 자신을 마주할 수 있다.

'나는 할 수 있다.'는 말을 버릇처럼 해보자.

'나는 할 수 있다.'는 말이 사실이 되어 '진짜 할 수 있는 나'가 되어 결과로 나타나는 날이 올 것이다.

무엇이든지 '이루고 싶은 마음'이 있어야 한다.

마음의 결단이 없는 실천은 꾸준히 하겠다는 의지를 박약하게 하며, 하고 싶지 않을 때, 귀찮을 때, 또 다른 새로운 무언가에 관심이 생겼을 때, 언제든지 그만둘 수 있다는 결정에 이르기 쉽게 한다.

목표를 지향하게 만드는 결단을 이끌어내기 위한 내적인 역량이 필요하다.

동기(動機)

어떤 행동을 일으키게 하는 내적 요인

- 위키백과 -

동기가 생기면 목표를 달성하기 위한 행동을 하려는 마음의 욕구가 생기고, 그 욕구는 행동을 지속시켜 나가게 한다.

즉, 마음에 동기가 부여되면 목표를 지향하는 특성을 띠어 행동하려는 욕구가 생겨 목표를 향해 나아가게 한다.

이루고자 하는 목표의 동기가 강할수록 목표를 달성할 확률이 높아진다. 동기부여에 의해 어떤 목표나 일에 얼마나 많은 시간과 노력을 투자할 것인지 결정될 수 있다.

다음은 세계적인 자기계발 전문가로 알려진 브라이언 트레이시의 《잠들어 있는 성공시스템을 깨워라》에 소개된 마음의 자세가 삶을 바꾼다는 성공 등식이다.

$$(IA+AA) \times A = 성공$$

인간의 잠재력 $(IA+AA) \times A = IHP$ (성과)

IA	=	inborn attributes	선천적 자질
AA	=	Acquired attributes	후천적 특성
A	=	Attitude	마음 자세

선천적 특성, 즉 타고난 자질과 후천적인 학습에 마음 자세를 곱하면 성공 비결이 된다. 아무리 IA(타고난 자질)와 AA(후천적 특성)가 크더라도 A(마음의 자세)가 낮으면 성공확률도 낮아지게 된다는 것이다.

마음의 자세가 높을수록 성공 확률을 높인다.

간절하고 절박한 사람일수록 목표를 이루거나 성공하는 경우가 많다. 마음의 자세에 따라 삶이 바뀐다는 것은 부연 설명이 필요 없는 진리일 것이다.

성공하기 위해 가장 중요한 것은 자신의 마음이다.

행동하는 것도, 어려움을 이겨내는 것도, 포기하지 않는 것도 모두 마음이 한다.

이루고자 하는 목표가 있다면 마음에 공을 들여야 한다.

부정적인 요소들은 마음의 자세를 낮게 만든다.

부정적인 마음자세는 나에게 이로운 것도 배척하게 하여 멀리하게 만든다. 부정적인 요소들을 차단해야 마음의 자세를 유지하고 높일 수 있다. 부정적인 요소들을 긍정적인 요소들로 바꿔야 한다.

사고 전환

"실패라는 것은 없습니다.

실패라는 것은 단지 우리 삶을 다른 방향으로 이끌 뿐입니다. 지금 여러분들이 어려움에 처해 있다면, 실패처럼 보일 수 있습니다. 여러분이 어려움에 처해있을 때 잠깐 동안 속상해해도 괜찮습니다. 하지만 중요한 건 모든 실수로부터 배우라는 것입니다. 어떠한 경험이나, 맞닥뜨린 일, 그리고 특히 여러분의 실수들은 여러분들을 깨닫게 하고 더욱 여러분답게 만들어 주기 때문입니다. 그런 다음

앞으로 무엇이 옳은 방향일지 생각하세요. "

오프라 윈프리의 말처럼 실패가 아닌 실수를 받아들여 '할 수 없다'가 아닌, '할 수 있다'는 옳은 방향으로 나아갈 수 있도록 사고를 전환해야 한다.

긍정적인 마음의 자세를 높이기 위해서는 사고 전환이 필요하다.

성공한 사람들은 애초부터 안 될 거라고 생각하지 않는다. 실패해도 그 속에서 길을 찾고, 길이 보이지 않을 때는 자신이 할 수 있는 최소한의 방법일지라도 최대한 노력하며 이겨냈다.

사고전환은 자기계발을 통해 강화시킬 수 있다.

사람이나 경험 또는 책을 통한 의도적인 반복과 지속적인 긍정적 인풋은 자신의 잠재의식을 바꿔 강한 의지를 만들어 준다.

잠재의식을 바꾸기 위해서는 긍정적인 사고전환이 필수이다.

책은 내가 가려는 길을 먼저 앞서간 사람들의 경험과 지혜를 통해 내가 가진 문제를 알게 해 주기도 하며 해결 방법을 알려 주기도 한다.

내가 알지 못하거나 경험해 보지 못한 책을 통한 간접경험들은 문제상황이 발생했을 때 어떤 생각과 마음으로 헤쳐 나가야 하는지, 문제를 '이렇게 해결할 수도 있구나'라고 일깨워 주기도 한다.

책은 수많은 지혜와 지식, 인물, 환경, 사회 변화 등 다양한 내용을 담고 있어 세상을 더욱 폭넓게 바라볼 수 있게 한다. 읽으면 읽을수록 생각에 유연성이 더해지고 문제를 다르게 보는 법을 알게 해준다.

단순히 생각이 바뀌는 것이 아니라 사고의 견문이 확장되어 더 고차원적인 생각을 할 수 있는 뇌의 구조로 만들어 준다.

깨달은 것들을 통해 자신의 사고를 전환시키고 더 큰 생각으로 더 큰 꿈을 꾸도록 성장시킨다.

'나의 생각'과 '나의 마음'이다.

탁월한 선택과 결정은 자신의 역량이다. '나' 스스로가 결정할 수 있다. 탁월한 것을 추구할수록 탁월함을 추구하는 우리 뇌의 시냅스는 확장되어 발달할 것이다.

일을 대충하면 대충한 것에 알맞은 결과가 나온다는 것은 누구나 알고 있다. 해야 할 일을 대충하면 일을 2번 해야 하는 경우도 생기고, 대충해서 손해 보는 일도 생긴다. 무슨 일이든 수박 겉핥기식으로 하면 그만큼의 수준과 결과에서 벗어날 수 없다. 대충이라는 편안함을 추구한다면 대충의 편안함에서 벗어날 수 없게 된다.

성장과 성공은 장기전이다.

자신의 미래를 위한 투자가 필요하다.

아직 일어나지 않은 일, 먼 미래의 일이라고 생각하게 되면, 인생의 우선순위에서 제외되거나 뒷전으로 미뤄지기 쉽다.

늙지 않는 사람은 없다. 건강한 사람도 나이가 들면 노화가 진행된다. 지금 괜찮다고 해서 건강을 돌보지 않으면 훗날 그 결과를 고스란히 받아들여야 하는 순간이 온다. 건강을 유지하려면 운동에 시간을 투자해야 한다.

무엇이든지 투자한 것이 없으면 기대할 것도 없게 된다. 생각을 성장시킬 수 있는 투자를 해야 새로운 행동이 나올 수 있다.

'알아야 면장을 한다.'는 말이 있다. 변화가 없는 오늘의 나로서는 내일의 새로운 나를 만들 수 없다. 어제의 나의 생각과 오늘의 나의 생각이 발전 없이 같다면 변화를 기대하기 어렵다. 기회가 눈앞에 지나가도 잡지 못하게 된다.

기존의 나의 사고방식이 현재의 나를 만들었다.

현재의 나는 앞으로의 나를, 나의 미래를 만들어 갈 것이다.

내가 읽는 책이, 나의 생각이, 나의 미래를 변화시킬 것이다.

긍정적인 마음가짐의 원천이 되는 범사에 감사하는 마음과 배우려는 자세로 즐거움을 얻고, 독서를 통해 배우고 얻은 것을 내 인생에서 활용하여 자신의 능력을 성장시켜야 한다.

배우고, 경청하며, 수용하는 자세를 가지고, 가장 짧은 시간에 '나'를 성장시켜줄 양질의 독서를 시작하자.

범사에 감사하는 마음으로 긍정적 정서를 유발하여 원하는 바를 이룰 때까지 도전하는 긍정적 사고 전환을 통해, 나 자신을 스스로 성장시키는 탁월함을 추구하자.

"스스로 성장해 나가기 위해 가장 우선시해야 하는 것은 탁월함을 추구하는 것이다. 조금밖에 바라지 않으면 성장도 없다. 많은 것을 추구하면 같은 노력으로도 거인으로 성장할 수 있다."

- 피터 드러커 -

삶을 바꾸는 질문

다음 질문에 대해 생각해보며, 질문의 공통점을 찾아보자.

1. 지금 내 삶에서 행복하다고 느끼는 것은 무엇인가?

   (무엇이 나를 행복하게 하는가? 어떻게 그것이 나를 행복하게 하는가?)

2. 내 인생에서 나를 들뜨게 만드는 것은 무엇인가?

   (무엇이 나를 들뜨게 하는가? 어떻게 그것이 나를 들뜨게 하는가?)

3. 내 인생에서 자랑스럽게 생각하는 것은 무엇인가?

   (무엇이 나를 자랑스럽게 하는가? 어떻게 그것이 나를 자랑스럽게 하는가?)

4. 내 인생에서 감사하다고 느끼는 것은 무엇인가?

   (무엇이 나로 하여금 지금 감사한 마음이 들게 하는가? 어떻게 그것이 감사하다고 느끼게 하는가?)

5. 지금 내 삶에서 가장 즐기고 있는 부분은 무엇인가?

 (지금 나는 내 삶에서 무엇을 즐기고 있는가? 그것이 어떻게 나를 즐겁게 하는가?)

6.지금 당장 내가 결단을 내린 것은 무엇인가?

 (무엇에 대한 결단을 내렸는가? 그것이 어떻게 결단을 내리게 했는가?)

7. 내가 사랑하는 사람은 누구인가? 누가 나를 사랑하는가?

 (무엇이 내가 사랑하는 마음이 들게 하는가? 그것이 어떻게 사랑하는 마음이 생기게 하는가?)

8. 나는 오늘 사회에 어떤 공헌을 했는가?

 (나는 오늘 어떤 면에서 '주는 사람'이 되었나?)

9. 오늘 내가 배운 것은 무엇인가?

10. 오늘 내 삶에서 발전을 이룬 것은 무엇인가? 또는 내가 오늘 이룬 것을 어떻게 내일을 위한 투자로 활용할 수 있을까?

위의 질문은 청소부에서 세계적인 동기부여 전문가가 된 《네 안에 잠든 거인을 깨워라》의 저자 토니 로빈스의 '삶을 바꾸는 기적의 질문들'이다.

그는 캘리포니아 베니스에 있는 열 평짜리 독신자 아파트에 살며 괴로워하고, 좌절하고, 외로워하면서 삶을 제대로 살 수 있을지 고민하였다고 한다. 그러다 자신을 정신적, 감정적, 신체적으로 변화시킬 수 있다는 생각에 이르렀다. 그가 삶을 송두리째 변화시키겠다고 결심하고 자신이 원하는 삶을 살아가는 사람들을 연구하여 발견한 질문들이다.

질문들의 공통점을 찾았는가?

그렇다. 모두 긍정적인 자세를 유발하는 내용들이다.

토니 로빈스를 통해서도 알 수 있듯이, 세상 모든 일이 자신의 마음먹기에 달려있다. 자신의 결단과 긍정적인 생각과 마음이 행동으로 이어져 인생을 변화시킨다. 이 사실을 모르거나 사실이 아니라고 말할 사람은 없을 것이다. 토니 로빈스처럼 자신의 삶에서 잘못된 것이 무엇인지를 고민하여 깨닫고, 옳은 방향으로 나아가기를 결단하여 실천하는 일련의 과정들이 인생을 변화시킨다.

작은 실천의 힘

'백문불여일견[百聞不如一見]'이라는 말처럼, 백 번 듣는 것보다 직접 경험해야 확실히 알 수 있다.

작게 느껴질지라도 '시작'이 없으면 '끝'도 없게 된다.

작은 목표라도 실천하는 것이 중요하다.

긍정적 정서로의 사고 전환을 위한 작은 실천을 시작해 보자.

☞ 미라클 모닝 루틴으로도 잘 알려진 **'확언'**

문장의 길이에 따라 시간은 차이가 날 수 있으나, 긍정 확언 한 문장을 말하는 데는 10초도 걸리지 않는다.

하루 중 깨어 있는 시간이 17시간이라면, 매시간 한 번씩 긍정적인 말로 자신을 성장시키는 데 걸리는 시간은 3분가량이다.

하루 3분, 한 번에 10초만 투자하면 긍정적인 나를 만드는 길로 들어서게 된다.

긍정 확언은 암기를 위한 것이 아니라 '나'를 성장시키기 위한 것이므로 나에게 맞게 만들어 보자.

긍정적인 마음자세를 가질 수 있는, 성장을 위해 자신에게 필요한 부분, 메타인지를 통해 자신의 변화를 원하는 부분, 목표를 이루기 위한 동기부여 등을 문장으로 만들어 보자.

문장을 만드는 것이 어렵거나 자신감이 부족한 사람은 '나는 할 수 있다.'는 말을 그대로 사용하거나, 자신에게 맞게 문장을 활용해 보다 구체적으로 만들어 사용해도 좋다.

문장을 만드는 것보다 중요한 것은 긍정 확언을 할 때는 긍정적인 마음으로, 자신의 말대로 될 거라고 자신을 믿는 마음으로 해야 한다는 사실을 기억하자.

어떤 일을 하느냐 보단 일을 어떻게 하느냐가 중요하듯이, 꼭 이루고자 하는 간절한 마음으로 말해보자.

간절하고, 절실하고, 절박할수록 마음은 더 뜨거워지고, 뜨거워진 마음의 열정은 행동으로 자연스레 이어져 지향하는 바를 지속적으로 실천하는 나를 만들어줄 것이다.

☞ 즐거운 마음으로 바꿔주는 '**나만의 로고송**'

아침에 일어날 때부터 피곤함이 몰려온다면, 화가 나고 짜증이 나는 상황이라면, 감사하는 마음으로 긍정 확언을 한다는 것은 어려운 일이다.

어떤 상황에서든지 자신의 기분을 빠르게 긍정적으로 전환시켜 줄 수 있는 도구가 필요하다.

자신이 좋아하는 노래를 들으면 기분이 좋아지듯이 긍정적인 마음으로 빠르게 전환시켜줄 수 있는 '나만의 로고송'을 아래 예시와 같이 만들어 보자.

(예시 노래는 '아빠 힘내세요' 동요가사를 개사하였다.)

< 예시 >

☞ "○○, 힘내세요. 나는 할 수 있잖아요."

"○○, 힘내세요. 나는 할 수 있어요."

들으면 기분이 전환되는, 자신이 좋아하는 활기차거나 신나는 노래를 선택해 그대로 불러도 좋고, 일부만 개사해 짧은 문장의 로고송을 만들어 불러도 좋다.

금세 기분이 전환되는 것을 느낄 수 있다.

좋아하는 노래뿐 아니라 자신에게 동기부여를 해줄 수 있는 문장이나 명언, 그림, 사진 등을 떠올리는 것도 도움이 된다.

언제, 어디서든지 긍정적인 마음으로 만들어줄 자신만의 노하우를 만들자.

"인생을 살아가는 데는 오직 두가지 방법밖에 없다. 하나는 아무것도 기적이 아닌 것처럼, 다른 하나는 모든 것이 기적인 것처럼 살아가는 것이다."

- 알베르트 아인슈타인 -

부록(셀프 테스트)

- 『일생일대의 기회가 주어진다면 나는 어떻게?』

어느 날 빌 게이츠가 공개모집공고를 냈다.

내용은 다음과 같다.

< 대상자를 공개 모집합니다 >

당신의 삶이 다하는 그날까지, 당신이 꿈꾸는 모든 것이 실현되도록 물심양면으로 전폭적인 지원을 약속합니다.

다음 조건에 충족하는 사람들의 많은 지원 바랍니다.

- 대상자 조건 -

1. 기간 : 3년 (자신이 수행할 수 있는 3년의 기간을 정한다.)

2. 자신이 정한 기간 동안 아래의 명시된 조건을 충족시켜야 한다.

  - 매일 아침 6시, 1시간 운동하기.

  - 3일 동안 책 한 권을 읽고 담당자에게 책 요약 설명하기.

  - 하루 한번 랜덤 대상자와 화상으로 토론하기.

  - 한 달 동안 읽은 10권의 책을 토대로 아이디어 계획서 작성하기.

  - 매월 초 한 달 10권 이외에 읽고 싶은 책 추가로 선정 및 권

수 정하기.

- 일주일에 한 번 재능기부 봉사하기

- 자신의 하루 일과 평가지를 하루 1번 작성하고, 일주일 단위,
  한 달 단위, 3개월 단위, 6개월 단위, 1년 단위로 작성하여 담당
  자에게 제출하기.

3. 위의 요건들을 정해진 시간, 횟수, 일정에 맞게 수행해야 한다.

4. 3년간의 수행결과표를 작성하여 당사에 지원서를 제출한다.

위의 모집공고가 사실이라면, 당신은 지원할 마음이나 자신이 있
는가?

있거나 없다면, 왜 그런지 곰곰이 생각 후 자문자답해 보자.

위의 요건들은 성공하는 데 필요한 요건들인 성실, 능력, 경청,
통찰, 열정, 마음, 목표 등을 바탕으로 작성하였다.

위의 요건들을 실제로 3년 동안 수행한다면, 3년 후 당신의 어떤
모습이 상상이 되는가? 3개월, 6개월 후만 되어도 당신은 이미 현재
꿈꾸고 소망하는 것보다 더 큰 것을 바라보며 추구하고 있을 것이

다.

자신의 성장과 변화를 추구한다면, 작고 사소하게 느껴지는 일일지라도 자신을 긍정적이고 행복한 사람으로 만들 수 있도록 무엇이든 시작하는 것이 중요하다.

출발하지 않으면 그 어떤 결승선도 없다.

한 걸음을 내딛으면 다음 걸음은 자연스레 따라오지 않던가.

끝까지 걷기만 한다면 누구나 결승선에 도달한다.

당신은 한 걸음 내딛기로 결단하겠는가?

"20년 후 당신은 했던 일보다 하지 않았던 일로 인해 더 실망할 것이다. 그러므로 돛 줄을 던져라. 안전한 항구를 떠나 항해하라. 당신의 돛에 무역풍을 가득 담아라. 탐험하라. 꿈꾸라. 발견하라."

- 마크 트웨인 -

| 에필로그 |

중국 변방에 한 노인이 살고 있었는데 어느 날 기르던 말이 국경을 넘어 도망쳐 버렸다. 이를 두고 이웃들이 위로의 말을 전하자 노인은 "이 일이 복이 될지 누가 압니까?"라고 말한다. 몇 달 후, 도망쳤던 말이 암말과 함께 돌아오니 이웃들이 노인의 말대로 됐다며 축하해 주었다. 그러나 노인은 "이게 화가 될지 누가 압니까?"라며 기뻐하지 않았다. 며칠 후 노인의 아들이 그 말을 타다가 낙마하여 다리가 부러지고 말았다. 이에 이웃들이 다시 노인을 위로하자 노인은 "이게 복이 될지도 모르는 일이오"라고 한다. 얼마 지나지 않아 나라에 전쟁이 터져 징집령이 내려 젊은이들이 모두 전장에 나가야 했으나 노인의 아들은 다리가 부러진 까닭에 전장에 나가지 않게 되었다.

- '네이버 지식백과' 요약 -

'인간만사 새옹지마(人間萬事 塞翁之馬 사람 인, 사이 간, 일만 만, 일 사, 변방 새, 늙은이 옹, 조사 지, 말 마)'란 말이 있다.

'세상에서 일어나는 모든 일이 새옹지마처럼 화가 복이 될 수도 있고, 복이 화가 될 수도 있으니 눈앞에 벌어지는 결과만을 가지고 너무 연연해하지 말라.'는 뜻이다.

'성장'이나 '성공'은 하루아침에 이루어지지 않는다.

'성장'이라는 길을 꾸준히 걸어가야 '성공'이라는 목적지에 도달하게 된다. 또한 한순간의 성공이 아닌 지속적인 성공을 위해서는 끊임없이 배우고 노력하며 성장하기를 항상 힘쓰며 걸어가야 한다.

인생의 긴 여정 속에 희로애락이 있기 마련이다.

실수나 실패가 없을 수 없다.

어떠한 환경에도 흔들리지 않아야 원하고 목표한 바를 끝까지 해낼 수 있다.

건물을 세울 지반이 불안정하면 아무리 튼튼한 골조로 건물을 세운다 해도 사는 동안 언제 무너질지 몰라 불안하기 마련이다.

'나를 아는 것'과 '긍정적인 마음가짐'은 성장이라는 건물을 세울 지반과 같다.

견고한 반석과 같은 지반 위에 공들여 성장하는 나를 세워야 쉽게 무너지지 않는다.

자신을 선한 것을 추구하여 옳은 방향으로 성장시키고, 원하는 바를 이룰 수 있도록 믿어주어야 한다.

'나는 할 수 없다'는 부족한 자신감은 저 멀리 던져버리자.

스스로를 믿지 못한다면 누가 나를 믿어 주기를 바랄 수 있을까?

'나는 할 수 있다'는 말은 사실이다.

당신의 말대로, 당신의 생각대로, 당신의 믿음대로 될 것이다.

자신을 끝까지 믿어주자.

'나는 할 수 있다'는 말이 사실이 되어 결과로 나타날 것이다.

성장하기를 힘쓰는 당신을 응원한다.

THE END

"우리는 항상 젊음을 위해 미래를 개발할 수는 없지만, 미래를 위해 우리의 젊음을 개발할 수는 있다."

- 프랭클린 *D.* 루즈벨트 -

참고문헌 |

BZCF, 워런 버핏, https://www.youtube.com/watch?v=zAcl1fVKkoU

JTBC 차이나는 클라스, 2021.10.24 방송.

MBC 무한도전, 서해안 고속도로 가요제, 2011.06.18 방송.

김기봉, <독서로 뇌를 춤추게 하라>, YTN 사이언스앤라이프, 2022. 01. 18.

김정규, 창의적 인재를 양성하려면, 교수 신문.

김정진, 《독서불패》, 자유로, 2005.

네이버 두산백과, 백전불태, https://terms.naver.com/entry.naver?docId=1
168892&cid=40942&categoryId=32972

네이버 지식백과, 메타인지 <또 다른 지적 능력 메타인지>.

네이버 지식백과, 새옹지마, https://terms.naver.com/entry.naver?docId=
1669978&cid=50801&categoryId=50804

리타 손, 《메타인지 학습법》, 21세기 북스, 2019.

사오TV, 감정을 다스리는 방법 뇌과학, https://www.youtube.com/watch?v=yiUcl_q2dpQ

신동기, 《독서의 이유》, 지식공작소, 2010.

이지성, 《18시간 몰입의 법칙》, 맑은 소리, 2004.

위키피디아, 동기, https://ko.wikipedia.org/wiki/%EB%8F%99%EA%B8%B0/

위키피디아, 동기부여, https://ko.wikipedia.org/wiki/%EB%8F%99%EA%
B8%B0_%EB%B6%80%EC%97%AC/

앤드류 휴버만, The Science of Gratitude & How to Build a Gratitude
Practice | Huberman Lab Podcast #47

지식인사이드, 유영만 교수 2부, https://www.youtube.com/watch?v=TE-
avIxAgtc

하루 10분 영어 톡톡, https://www.youtube.com/watch?v=WazKfb_fMgk
&t=89s

황농문, 《THINK HARD 몰입》, 랜덤하우스, 2007.